HISTOIRE juniors



# LOUIS XIV

Texte de Jean-Marie Le Guevellou
Illustrations de Pierre Le Guen
sous la direction d'Alain Plessis

# Un roi de droit divin

**5 septembre 1638**
**naissance de Louis XIV**

En 1645, un enfant de sept ans, blond, au regard triste, entre au **Parlement** de Paris. Nobles, maréchaux, ministres mettent un genou à terre pour le saluer : c'est Louis XIV, héritier de Charlemagne, de saint Louis et d'Henri IV, le fils de Louis XIII, le maître absolu de dix-neuf millions de Français.
Il tient sa puissance de Dieu et ne doit de comptes qu'à Lui. Roi par la volonté de Dieu, il reste pourtant à l'écart des cérémonies, abandonné aux soins des domestiques. Un jour, il était si peu surveillé qu'il faillit se noyer dans un bassin. Il porte des **pourpoints** râpés, des bas troués, et sa vieille robe de chambre lui arrive au-dessus du genou.
Cet enfant grave observe ceux qui l'entourent et comprend vite que, derrière les sourires, on guette la moindre de ses faiblesses.
Il sait que seuls sa mère, la régente Anne d'Autriche et le cardinal Mazarin, qu'il déteste pourtant, protègent son autorité. D'où ce visage indéchiffrable qu'il se donne très tôt et qu'il portera encore à la veille de sa mort.

**Parlement**
Assemblée de juges qui donnait aux décisions du roi « force » de loi et qui comprenait, par ailleurs, de nombreux tribunaux.

**pourpoints**
Sortes de vestes.

*Le jeune Louis XIV est endormi auprès de son valet de chambre.*

ISTOIRE
MEZERAY

# Louis XIV fuit Paris

**1648-1652**
**La Fronde**

Mazarin, encore à la tête du gouvernement en 1649, fait arrêter les parlementaires qui veulent jouer un rôle politique.
Paris se hérisse de barricades.
En janvier 1649, le cardinal et la régente s'enfuient à Saint-Germain-en-Laye en pleine nuit avec le roi encore très jeune et font attaquer la capitale par les soldats de **Condé**.
Une paix met fin à cette **fronde** parlementaire.
Mais Condé, qui se juge mal remercié, déclenche une fronde menée par les nobles.
La révolte s'étend aux provinces.
C'est la guerre civile et la misère.
Le Parlement s'étant à nouveau dressé contre lui, Mazarin quitte la France.
Le pouvoir royal est menacé.
Les paysans accablés d'impôts se révoltent à leur tour. C'est la révolution.
Mais la bourgeoisie, inquiète pour ses affaires, ne tarde pas à rentrer dans l'ordre, et Louis XIV, aidé par Turenne, un ancien frondeur, triomphe bientôt.
Le roi est bien décidé à rétablir un gouvernement absolu qu'il laisse tout d'abord aux mains de Mazarin, de retour en France.

**Condé**

Louis II, prince de Condé, fut l'un des plus brillants généraux du règne de Louis XIV. Après sa « trahison », il entra de nouveau au service du roi, attitude qui n'avait rien de choquant à l'époque.

**fronde**

Dans ce contexte, il s'agit d'une révolte.

*Le roi, alors âgé de onze ans, doit quitter précipitamment Paris, en compagnie de sa mère Anne d'Autriche, dans une nuit froide d'hiver. Ils fuient la fronde des parlementaires.*

# « L'État c'est moi »

**1661**
**Louis XIV prend le pouvoir**

Le 10 mars 1661, aussitôt après la mort de Mazarin, Louis XIV, âgé de vingt-trois ans, se décide à prendre le pouvoir.
Il déclare que désormais il va gouverner seul, sans premier ministre.
De fait, pendant six à huit heures par jour, il ne quitte guère son bureau, s'informant de tout, rédigeant lui-même son courrier, préparant le **budget**. Il tient compte de l'avis de quelques ministres : le **chancelier**, le contrôleur général des Finances, et quatre secrétaires d'État qui s'occupent des Affaires étrangères, de la Guerre, de la Marine et de la Maison du Roi. Chacun d'eux administre aussi une partie du royaume. Le contrôleur des Finances, Fouquet, est peu scrupuleux, et il commet, en outre, l'erreur de vouloir éblouir le roi par une réception fastueuse dans son magnifique château de Vaux-le-Vicomte. Louis XIV le fait arrêter et porte sa confiance sur un ancien agent de Mazarin, un fils de marchand de draps capable et dévoué, Colbert. Celui-ci fait des **intendants** les fidèles exécutants du roi dans les provinces.

*C'est dans la cour du château de Nantes que Louis XIV ordonna à d'Artagnan d'arrêter son ministre des Finances Fouquet, accusé d'avoir pris de l'argent dans les caisses de l'État. Il le fit condamner à la prison perpétuelle et confisqua tous ses biens.*

**budget**
Ensemble des recettes et des dépenses de l'État. Si les recettes sont plus importantes que les dépenses, ce qui est souhaitable, on parle d'excédent. Dans le cas contraire, il y a déficit.

**chancelier**
C'était le ministre de la Justice.

**intendant**
Il jouait plusieurs rôles à la fois ; ceux que jouent aujourd'hui préfet, juge, chef de gendarmerie, etc.

# À la cour

**1664-1668**
**fêtes au château de Versailles**

un jardin à la française

Louis XIV est très orgueilleux : il choisit comme emblème l'astre le plus grand, le Soleil — c'est pour cette raison qu'on le surnomme le Roi-Soleil —, et il prend pour devise : « Il pourrait gouverner plusieurs royaumes à la fois. »
Plus encore, le moindre de ses actes est entouré d'un **cérémonial** compliqué. La cour mène une vie somptueuse à Versailles.
Louis XIV fait agrandir le château, qui n'était avant qu'un petit pavillon de chasse et le transforme en un palais merveilleux où les fêtes alternent avec la représentation de pièces de théâtre et de ballets.
Il confie la transformation du parc au jardinier Le Nôtre qui y dessine, suivant des lignes symétriques, de splendides parterres séparés d'allées et en fait le modèle du « jardin à la française ».
Chaque **courtisan** dépense une fortune pour maintenir son train de vie. Le roi, habilement, s'assure la confiance et la docilité des nobles en leur accordant des pensions, ce qui rend une nouvelle fronde impossible. Il flatte aussi son orgueil de **mécène** en donnant des subventions aux artistes.

**cérémonial**
Ensemble de règles très précises qui indiquent le rang, la place, les gestes de chacun dans toutes les circonstances de la vie publique.

**courtisan**
Un courtisan est un homme qui vit à la cour du roi.

**mécène**
Du nom d'un ami et conseiller de l'empereur romain Auguste, qui était protecteur des artistes.

*Molière fut l'un des artistes protégés par le Roi-Soleil. Il écrivit de nombreuses comédies ; certaines furent jouées devant le roi et la cour, notamment « Le Malade imaginaire ».*

# Un roi riche

**1667**
**manufacture des Gobelins**

une dame de la cour

Colbert développe les industries textiles : la draperie à Elbeuf, Abbeville et Sedan, les tapisseries à Paris, « Les Gobelins », et à Aubusson, tandis que l'industrie de la soie est développée à Lyon.
Pour apprendre aux Français le secret de leurs fabrications, il fait venir des ouvriers de l'étranger : des verriers de Venise ou des métallurgistes allemands.
La France fabrique des miroirs et de luxueuses glaces, ainsi que de l'acier.
Économiste avisé, Colbert aide les producteurs en leur prêtant de l'argent ou en leur versant des primes. Il encourage le développement des manufactures : plutôt que des usines, ce sont des groupements d'ateliers qui travaillent pour le roi ou que le roi aide.
Colbert fixe aux productions des **normes** très précises et il les fait vérifier par des inspecteurs.
De plus, il pratique un **protectionnisme** étroit afin d'écarter la concurrence des produits étrangers.
Toutes ces mesures sont favorables au progrès des industries françaises.
Louis XIV devrait donc être riche.
Hélas ! Les impôts que seuls les paysans payent sont engloutis par les besoins de la cour et les dépenses de la guerre...

**normes**
Règles auxquelles la qualité d'un produit doit se soumettre.

**protectionnisme**
Fait de frapper de droits de douane élevés les marchandises venant de l'étranger afin de limiter leur concurrence.

*Colbert développe à Paris la manufacture des Gobelins. Il fait visiter cette entreprise au roi, qui peut admirer des glaces splendides, des meubles et des tapisseries de grande valeur.*

# L'envers du décor

1670
**révoltes dans le Vivarais**

Louis XIV ne se soucie pas beaucoup
des conditions d'existence de ses sujets,
qui sont pourtant très dures à cette époque.
En 1694, **Fénelon** écrit à Louis XIV :
« Vos peuples meurent de faim...
La France entière n'est plus qu'un grand
hôpital désolé et sans provisions. »
En effet, sur les quatre ou cinq enfants
que compte en moyenne une famille française
de l'époque, un meurt avant un an, un autre
avant vingt ans. Un enfant sur deux
ne devient donc jamais adulte.
La vie est précaire.
Dès qu'une récolte est mauvaise, la **disette**
s'installe, et les pauvres se voient obligés de
manger ce qu'ils peuvent trouver :
des cadavres d'animaux, de l'herbe, l'écorce
des arbres. Les maladies se propagent,
la plus terrible est la **peste**.
Quoi d'étonnant si le peuple se révolte ?
C'est ce qu'il fait souvent, comme en 1662
dans le Boulonnais où quatre cents personnes
sont arrêtées, en 1670 dans le Vivarais
où a lieu une centaine d'exécutions, mais aussi
en 1675 en Guyenne et en basse Bretagne.
Fénelon a donc de bonnes raisons d'ajouter,
dans sa lettre au roi : « ... Le peuple croit
que vous n'aimez que votre autorité
et votre gloire. »

**Fénelon**

Cet ecclésiastique fut le précepteur du petit-fils de Louis XIV. Il a critiqué la politique du roi.

**disette**

Manque de nourriture.

**peste**

Maladie infectieuse et contagieuse due au bacille de Yersin. Elle est transmise du rat à l'homme par morsure ou par des puces puis elle se transmet de malade à malade. Cette maladie, aujourd'hui disparue, a fait de très nombreuses victimes au cours de l'histoire.

*Les vendanges sont pour les paysans un moment d'intense activité. Pour extraire des raisins le jus qui doit se transformer en vin, on foule les grappes, c'est-à-dire qu'on les écrase avec le pied.*

# Commerce et colonisation

**1664-1670**
**extension du commerce maritime**

Entre 1664 et 1670, Colbert développe le commerce maritime. De grandes « Compagnies » se voient attribuer le monopole du trafic et d'importants crédits. Depuis Lorient, les bateaux de la Compagnie des Indes orientales sillonnent les océans Indien et Pacifique ; depuis Nantes et Bordeaux, ceux de la Compagnie des **Indes occidentales** organisent le trafic du sucre et des esclaves ; la Compagnie du Levant commerce avec les Turcs à partir de Marseille.
En 1682, en Amérique du Nord, un bourgeois de Rouen, Cavelier de la Salle, baptise le Mississippi fleuve « Colbert » et ses plaines « Louisiane » en l'honneur du roi de France.
Cependant Colbert ne peut pas empêcher le massacre des colons français établis à **Madagascar** en 1672. Deux ans plus tard, il apprend avec joie la fondation de Pondichéry sur la côte orientale de Coromandel, aux Indes.
En Amérique centrale, la Martinique et la Guadeloupe sont mises en valeur et des corsaires français s'installent à l'ouest de **Saint-Domingue**.

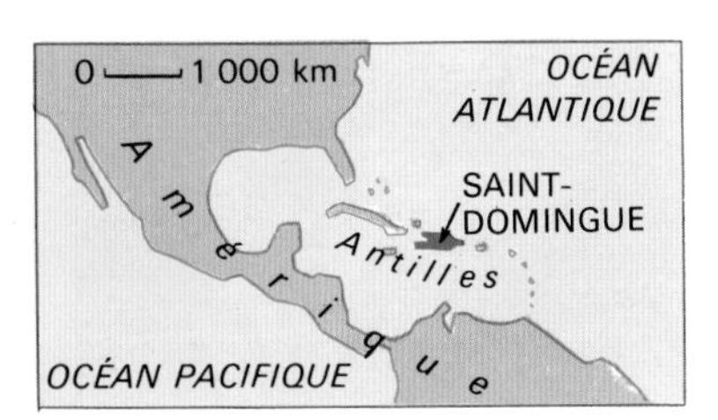


**Indes occidentales**
Nom donné à l'Amérique par Christophe Colomb qui croyait, en la découvrant, avoir atteint l'Asie.

**Madagascar**
Grande île de l'océan Indien, au sud-est de l'Afrique — où se développera au XVIIIe siècle un royaume indigène.

**Saint-Domingue**
Île située à l'est de Cuba et découverte par Christophe Colomb en 1492. Les abus de l'esclavage y provoqueront une révolte des Noirs au moment de la Révolution française.

*La richesse des Antilles, de Saint-Domingue en particulier, venait de la canne à sucre qui était cultivée puis transformée en sucre par des esclaves noirs.*

# Louis XIV et l'armée

**1677**
**Vauban commissaire général des fortifications**

un soldat
armé d'une baïonnette

Sous le règne de Louis XIV, grâce à l'ambitieux secrétaire d'État à la Guerre, Louvois, une armée permanente de 300 000 hommes est constituée. Dans cette armée, où chacun peut faire carrière même sans être noble, la discipline est renforcée et l'**intendance** améliorée. Le fusil et la **baïonnette** rendent les soldats plus offensifs. Par ailleurs, Colbert renforce considérablement la marine de guerre : elle comptait seulement 24 navires au début du règne de Louis XIV, elle en a maintenant 258. Colbert arme aussi plusieurs grands ports : Brest, Toulon, le Havre.
Mais le grand génie militaire du temps est sans doute Vauban qui invente un système original de fortifications : les lignes de défense sont « rasantes », c'est-à-dire peu élevées, et, de plus, protégées par des talus de gazon et des fossés, pour mieux échapper au tir des canons ennemis.
Elles sont en outre disposées en étoile afin de supprimer les angles morts.
Cet effort militaire va permettre à Louis XIV de poursuivre ses buts : agrandir la France et établir sa domination en Europe.

**intendance**
Service chargé de pourvoir aux besoins des soldats en nourriture et vêtements, et de les payer par le versement de la solde.

**baïonnette**
C'est une sorte de petite épée pouvant se fixer au bout du fusil. Son nom vient de la ville de Bayonne où elle fut inventée au XVI^e^ siècle.

*Dans l'armée du roi, les soldats des gardes françaises se distraient durant les moments de repos en jouant aux dés.*

# Un roi guerrier

**1678**
**traité de Nimègue**

En 1660, Louis XIV a épousé Marie-Thérèse, la fille du roi d'Espagne. Au nom des prétendus droits de sa femme, en 1667, le Roi-Soleil envahit les **Pays-Bas espagnols**. La **Hollande**, l'Angleterre, et la **Suède** conjuguent leurs efforts pour arrêter la brillante avance de Louis XIV, et le traité d'Aix-la-Chapelle signé en 1668 ne lui laisse que onze places de Flandre.
Décidé à se venger, Louis XIV envahit la Hollande en 1672, ce qui provoque de nouveau la formation d'une coalition contre lui. De grandes victoires lui permettent d'obtenir, au traité de Nimègue, en 1678, la Franche-Comté ainsi qu'une partie du Hainaut et de la Flandre. Insatiable, le Roi-Soleil réalise alors des annexions qui provoquent une nouvelle guerre, dite de la Ligue d'Augsbourg, au cours de laquelle il doit affronter une imposante coalition.
Si Louis XIV ne parvient pas à garder l'ensemble des territoires conquis, il conserve en Europe un prestige inégalé.

**Pays-Bas espagnols**
Ils comprennent essentiellement le Brabant, la Flandre, l'Artois, le Hainaut et le Luxembourg.

**Hollande**
La plus grande des Provinces-Unies protestantes qui, en 1581, ont affirmé leur indépendance vis-à-vis de l'Espagne catholique.

**Suède**
Ce royaume protestant dispose alors d'une excellente armée de paysans pieux et disciplinés.

*Le roi participait volontiers à la conduite de la guerre, au milieu de ses généraux.*

# Le roi très chrétien

**1685**
**révocation de l'édit de Nantes**

Madame de Maintenon

Louis XIV est un catholique convaincu. Sa seconde femme, **Madame de Maintenon,** très croyante également, a beaucoup d'influence sur lui : c'est elle qui l'incite à attaquer les droits des protestants. Louvois organise une véritable terreur : ses **dragons** volent et torturent les protestants qui se convertissent dès leur approche. On présente à Louis XIV de si longues listes de convertis qu'il ne juge plus utile d'appliquer l'édit de Nantes. Ce dernier avait été accordé par Henri IV pour mettre fin aux guerres de Religion. Il donnait aux protestants la liberté de culte, l'égalité civile et judiciaire ainsi que la garde de certaines villes.
Louis XIV révoque donc l'édit de Nantes en octobre 1685 : les protestants ne peuvent plus célébrer leur culte et les pasteurs doivent quitter le royaume. Beaucoup d'hommes de valeur passent les frontières et vont s'établir à l'étranger. Seules les **Cévennes** résistent farouchement : il faudra huit ans d'atroce répression et finalement l'envoi d'une armée de 20 000 hommes pour en venir à bout.

**Madame de Maintenon**
Veuve du poète Scarron, elle épousa secrètement Louis XIV après la mort de la reine en 1683.

**dragon**
Soldat d'un corps militaire de cavalerie créé au XVI$^{e}$ siècle pour combattre à pied ou à cheval.

**Cévennes**
Région située au sud-est du Massif central. Les protestants cévenols en lutte contre Louis XIV furent appelés « camisards ».

*Pour forcer les protestants à se convertir au catholicisme, des « dragonnades » étaient organisées : des soldats, les dragons, étaient logés chez les protestants qu'ils pillaient et maltraitaient jusqu'à ce qu'ils renient leur foi.*

# Le roi contesté

**1709-1710**
**une grande famine**

Pendant les années 1693-1694 et 1709-1710, la France est victime d'épouvantables famines. D'autre part, la guerre incessante freine ou arrête le commerce.
Les dépenses de guerre et l'argent versé par le roi à ses courtisans finissent par mettre le budget en déficit. Le Roi-Soleil doit **dévaluer** sa monnaie, créer des loteries, faire des emprunts forcés. Il institue et vend même des autorisations ridicules comme celle d'être « contrôleur de chandelles ».
**Vauban**, homme de cœur, propose de faire payer des impôts aux privilégiés de la noblesse et du clergé. Il n'est pas écouté et ce sont toujours les paysans seuls qui doivent payer de nouveaux impôts qui s'ajoutent aux précédents.
Le roi est de plus en plus contesté.
Les protestants lui reprochent son intolérance et les nobles, comme **Saint-Simon,** lui en veulent de gouverner avec l'aide de bourgeois. Par ailleurs, Louis XIV se heurte à d'autres difficultés...

**dévaluer**
Diminuer la valeur d'une monnaie.

**Saint-Simon**
Auteur de « Mémoires » célèbres où il raconte de façon très vivante et critique l'existence que l'on menait à la cour de Louis XIV.

*Pendant la disette de 1709, la misère fut telle que le roi dut faire distribuer du pain à la population affamée de Paris qui menaçait de se révolter.*

# Le roi vaincu

**1712**
**bataille de Denain**

Philippe V, roi d'Espagne

Lorsque le beau-frère de Louis XIV, le roi d'Espagne, meurt en 1700, il a désigné comme héritier le petit-fils du Roi-Soleil, le duc d'Anjou, pourvu que ce dernier renonce au trône de France. Or, Louis XIV maintient les droits de son petit-fils à la couronne de France et accumule les provocations. Les autres puissances ne peuvent accepter que le roi de France soit en même temps roi d'Espagne et, en 1702, c'est à nouveau la guerre. L'Angleterre, l'**Empire** et les Provinces-Unies mettent le Roi-Soleil au bord de la défaite. De justesse, par sa victoire à Denain, en 1712, le maréchal de Villars évite l'invasion.
Louis XIV, vaincu, doit céder des possessions françaises. Terre-Neuve revient au Canada et l'Acadie à l'Angleterre.
Le duc d'Anjou, devenu Philippe V d'Espagne, renonce au trône de France et garde une Espagne amputée au profit de l'Empire et de la Savoie. L'Angleterre conserve Gibraltar et gagne des droits de commerce dans l'immense Empire espagnol.

**Empire**
L'Allemagne était, à l'époque, divisée en plusieurs centaines d'États. De tous les princes, sept seulement élisaient un empereur, qui appartenait toujours à la famille des Habsbourg.

*Gibraltar est une place stratégique adossée à un rocher du sud de l'Espagne. Cette ville garde le passage entre la Méditerranée et l'Atlantique. Les Anglais s'en emparèrent par surprise en 1704, lors de la guerre contre le Roi-Soleil. Une flotte française essaya en vain de la leur reprendre. Gibraltar appartient encore aujourd'hui à l'Angleterre.*

LE GUEN

# La mort du roi

**1er septembre 1715**
**mort de Louis XIV**

la basilique de Saint-Denis

À la fin de sa vie, Louis XIV, au moral déjà affecté par les échecs militaires et une grave crise économique, est frappé par une série de deuils. Le dauphin, son fils, trois de ses petits-fils et l'un de ses arrière-petits-fils meurent entre 1711 et 1714. En 1715, le roi, âgé de soixante-dix-sept ans, maigrit. En Angleterre, on engage des paris sur la date de sa mort. Bientôt, il boite ; sa jambe est atteinte de **gangrène**. Louis XIV, sentant sa fin proche, appelle son héritier, son arrière-petit-fils âgé de cinq ans, le futur Louis XV, et lui fait cette confidence : « Ne m'imitez pas dans le goût que j'ai eu pour la guerre. Tâchez de soulager votre peuple... »
Le 1er septembre 1715, le Roi-Soleil meurt. C'est sous les injures et les cris de joie du peuple que son corps est conduit à la basilique de **Saint-Denis**. Peu de temps avant de mourir, il avait dit à ses proches : « Je compte que vous vous souviendrez quelquefois de moi. »
Les miroirs de la galerie des Glaces de Versailles nous renvoient à l'infini la silhouette altière du Roi-Soleil.
Louis XIV commit certes des erreurs, mais il a donné un État puissant à la France, à l'art il a légué Versailles et à un siècle entier son nom.

**gangrène**
Maladie très grave qui entraîne la décomposition du corps.

**Saint-Denis**
La basilique de Saint-Denis (XIe-XIIIe siècle) contient les tombeaux des rois de France.

*Sur son lit de mort, en 1715, Louis XIV s'entretient avec son successeur, son arrière-petit-fils, un enfant de cinq ans. C'est le futur Louis XV.*

# Chronologie

| | |
|---|---|
| **5 septembre** 1638 | Naissance de Louis XIV. |
| 1643 | Mort de Louis XIII. La régence est assurée par Anne d'Autriche. |
| 1648-1652 | La Fronde : une grave insurrection plonge la France dans la guerre civile. |
| 1649 | Fuite du roi, de la régente et du cardinal Mazarin à Saint-Germain-en-Laye. |
| 1660 | Louis XIV épouse Marie-Thérèse. |
| 1661 | Mort de Mazarin. Louis XIV assume le pouvoir et confie la direction des finances à Jean-Baptiste Colbert. |
| 1667 | Louis XIV envahit les Pays-Bas espagnols. |
| 1668 | Traité d'Aix-la-Chapelle : la paix est conclue entre la France et l'Espagne. |
| 1670 | Révoltes en France dues à la famine. |
| 1675 | Mort de Turenne. |
| 1678 | Traité de Nimègue qui marque l'apogée du règne de Louis XIV. L'Espagne doit céder à la France la Franche-Comté, une partie de la Flandre et du Hainaut. |
| 1682 | Louis XIV et sa cour s'installent à Versailles. |
| 1685 | Révocation de l'édit de Nantes. Celui-ci, promulgué en 1598 à Nantes par Henri IV, accordait la liberté de conscience et différentes garanties aux protestants. Ces derniers fuient la France. |
| 1701 | Début de la guerre de succession d'Espagne. L'Espagne est appuyée par l'Angleterre, l'Empire, les Provinces-Unies. |
| 1704 | Prise de Gibraltar par les Anglais. |
| 1712 | Prise de Denain par Villars. Cette victoire permet de dégager Paris, menacée par les troupes alliées. |
| 1713 | Le traité d'Utrecht met fin à la guerre de succession d'Espagne. |
| 1715 | Mort de Louis XIV, âgé de 77 ans. |

Louis XIV à 10 ans

Louis XIV à cheval vers 1672

# Personnages célèbres

● **Jules Mazarin** (1602-1662). Son vrai nom était Giulio Mazzarini. À la mort de Richelieu, qui l'avait protégé, Mazarin est placé par Louis XIII à la tête du Conseil royal. Après la mort du roi, il a continué à diriger la politique du royaume, au côté de la reine Anne d'Autriche. La guerre, interrompue enfin par les traités de Westphalie (1643), l'obligea à alourdir la charge des impôts. Les Grands se révoltent et leur « Fronde » oblige Mazarin à fuir à deux reprises à l'étranger. Détesté par les princes, Mazarin a cependant parachevé l'œuvre commencée par Richelieu, et préparé le règne de Louis XIV.

● **Jean-Baptiste Colbert** (1619-1683). Fils d'un commerçant, Colbert a d'abord géré la fortune de Mazarin, qui l'a recommandé à Louis XIV. Celui-ci lui confie pratiquement toute l'administration du royaume. Il utilise les intendants créés par Richelieu pour imposer dans tout le royaume les décisions prises à Paris. C'est ce qu'on appelle la « centralisation ». Colbert encourage l'industrie, crée des manufactures, et taxe lourdement les produits venant de l'étranger. Les règles sévères qu'il impose sont d'abord efficaces. Mais, à la fin du règne, elles ont plutôt gêné l'essor de l'économie.

● **Henri de la Tour d'Auvergne, vicomte de Turenne** (1611-1675). Turenne appartient à la haute noblesse. Il a conquis la gloire auprès de ses contemporains pendant les guerres qui se sont succédé sous les règnes de Louis XIII et de Louis XIV. Il a été nommé Maréchal de France en 1660. Protestant, il s'est converti au catholicisme.

Mazarin

Vauban

● **Sébastien Le Prestre, de Vauban** (1633-1707). Nommé Commissaire général des fortifications en 1677, Vauban est surtout connu pour avoir étendu à la plupart des places du nord de la France un système de fortification nouveau. Grand ingénieur, il a aussi développé des méthodes nouvelles pour s'emparer d'une place forte et a mis ces principes en application avec succès. D'une grande liberté d'esprit, il avait aussi des idées originales sur la politique générale — si originales qu'il est tombé en disgrâce auprès du roi en 1707. Cette même année, on brûla son livre *Projet d'une dîme royale* qui suggérait de faire payer l'impôt à tout le monde.

# Généalogie

Henri IV
(roi de 1589 à 1610)

Louis XIII
(roi de 1610 à 1643)

Gaston d'Orléans
(1608-1660)

Louis XIV
(roi de 1643 à 1715)

Philippe Ier d'Orléans
(1640-1701)

# La France de Louis XIV

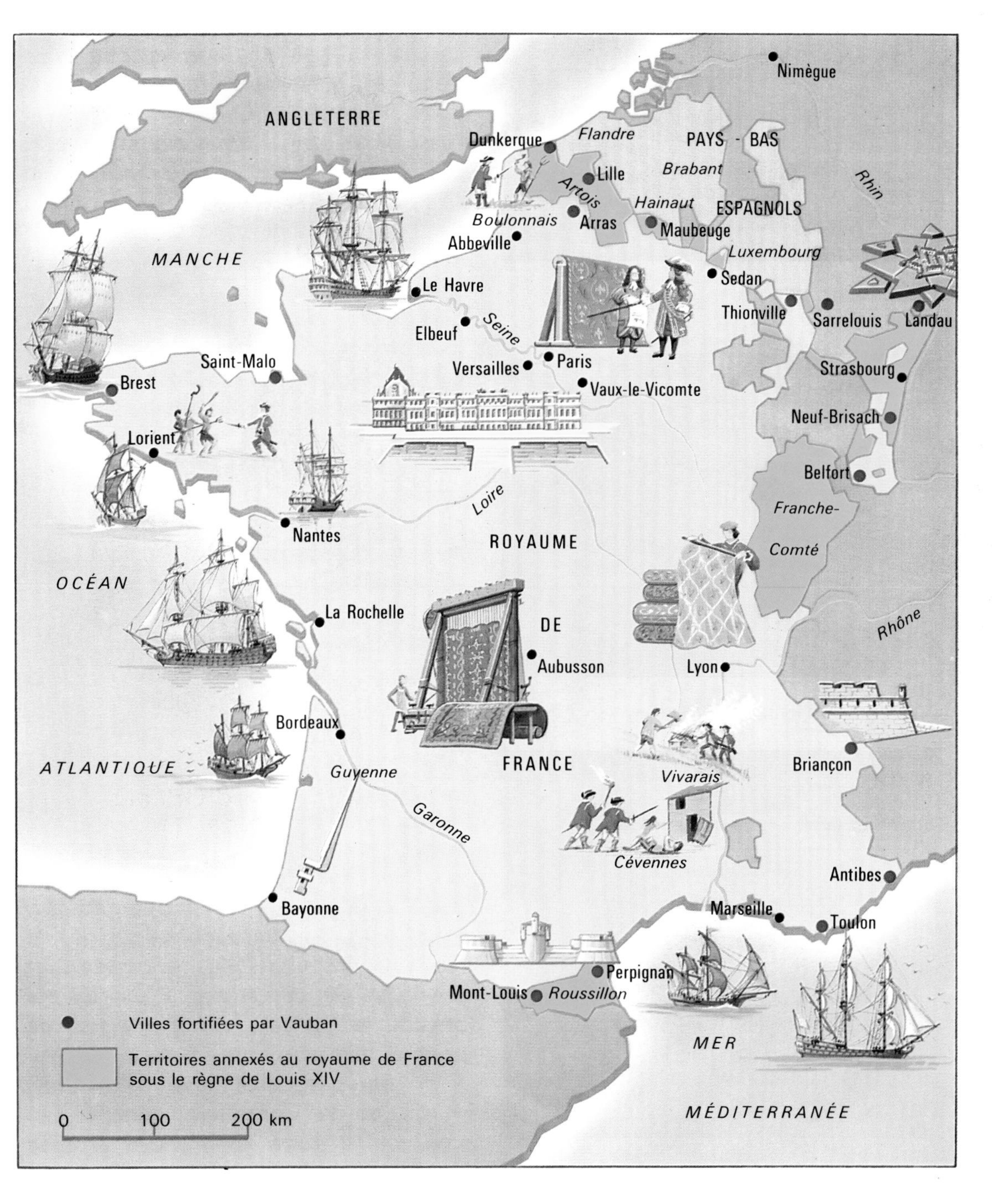

# Au temps de Louis XIV

Louis XIV visitant le chantier de Versailles

Le château et les jardins de Versailles en 1668

Maquette de la chambre à coucher de Louis XIV

**Versailles devient une ville royale**

Louis XIV se méfie de Paris ; il n'a pas oublié cette nuit de l'hiver 1649 où il a dû fuir Paris caché au fond d'un carosse. C'est une des raisons pour lesquelles il décide de faire de la bourgade de Versailles une ville royale.
À partir de 1661, il fait transformer le pavillon de chasse de Louis XIII en un somptueux château. En 1667, il installe dans celui-ci le gouvernement du royaume, loin de Paris. Sous Louis XIV, Versailles devient un foyer d'art français célèbre dans l'Europe entière. Les plus grands artistes y ont travaillé : les architectes Le Vau et Mansart ont créé un ensemble architectural unique au monde. On doit à Le Nôtre la réalisation des jardins et du parc de Versailles.

**Une journée du roi à Versailles**

À Versailles, une cérémonie réglée jusque dans le moindre détail par l'étiquette ouvre la journée de Louis XIV. Rares sont les courtisans qui peuvent y assister. Dans un premier temps le grand chambellan tire les rideaux qui dissimulent le lit royal, puis il apporte au roi sa robe de chambre.
Après avoir suivi la messe, Louis XIV se met au travail. « C'est par le travail que l'on règne, écrit-il, c'est pour cela que l'on règne. » Il a un pouvoir absolu, mais n'en est pas moins obligé de respecter les droits, les « libertés » et privilèges de ses sujets. C'est lui qui préside le Conseil, car il n'a pas de premier ministre. Entouré de ses ministres, en particulier des secrétaires d'État et du Contrôleur général des finances, il traite les grandes affaires du royaume.

## Un royaume agrandi

Sous Louis XIV, de nouvelles provinces deviennent françaises. Les intendants qui y représentent le roi ont su respecter les usages de chacune des provinces acquises (ils n'imposent pas partout l'emploi de la langue française), mais se sont appliqués avec ménagement et ténacité à rendre pleinement françaises ces nouvelles annexions. Cette politique prudente explique le fait que la révocation de l'édit de Nantes n'ait pas été appliquée dans certaines de ces provinces. Pour assurer ces nouvelles frontières, Louis XIV a fait construire par Vauban cent soixante places fortes. On disait alors : « Ville défendue par Vauban, ville imprenable » et « Ville assiégée par Vauban, ville prise. »

## La vie économique

Les rendements agricoles ne s'améliorent guère au XVII$^{e}$ siècle et restent généralement médiocres ; c'est pourquoi il y a tant de disettes. Beaucoup d'hommes et de femmes meurent de faim.

Jean-Baptiste Colbert, homme de confiance et ministre de Louis XIV, se donne pour tâche de développer l'esprit d'entreprise et l'activité commerciale en France. Il considère que le meilleur moyen d'enrichir le royaume consiste à travailler plus et mieux. Pour maintenir la qualité des produits il multiplie des règlements plus exigeants les uns que les autres, et attire de nombreux techniciens étrangers. Colbert favorise l'essor du grand commerce et des colonies pour ouvrir le marché des industries françaises et se procurer des denrées à bon prix.

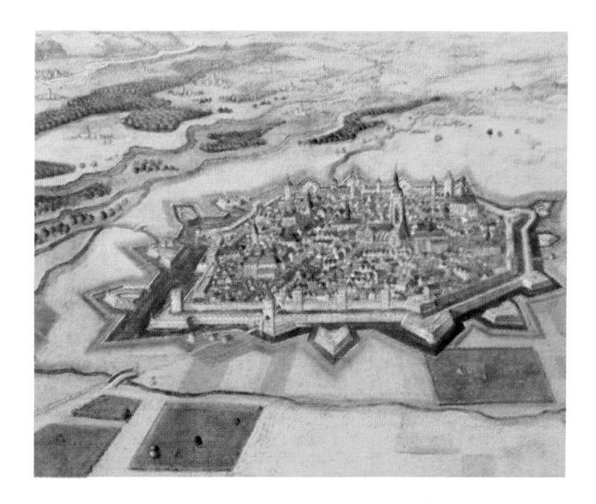

Vue de Colmar au XVII$^{e}$ s.

Louis XIV, Colbert et les membres de l'Académie des Sciences

La Charrette, par Le Nain

# Chronique d'une époque

Louis XIV visitant la manufacture des Gobelins

**Le canal du Midi**

Déjà Sully, sous Henri IV, avait lancé le projet d'un canal joignant la Loire à la Seine ; il fut réalisé sous Louis XIV ; mais le plus grand canal du XVII$^{e}$ siècle a été celui du Midi. Construit par Riquet, il a établi une liaison entre la Méditerranée et l'océan Atlantique.

**Un grand ministre : Colbert**

*« Il n'y a que l'abondance d'argent dans un État qui fasse la différence de sa grandeur et de sa puissance. »*

Colbert, *Mémoire sur le commerce,* 1664

**Les manufactures**

Jules Michelet évoque l'ampleur de l'œuvre de Colbert :

*« De toute l'Europe, Colbert fait venir des industries nouvelles. Les droits (c'est-à-dire les impôts) qu'il impose en 1664 sur les toiles et les draperies hollandaises et anglaises permettent aux nôtres d'essayer ces grandes fabrications... Lyon tout à coup devient énorme, exporte des soieries pour 50 millions. »*

J. Michelet, *Histoire de France*

Eau forte : série des Gueux
Jacques Callot 1592-1635

**Une grande famine (1693-1694)**

*« Un nombre infini de pauvres que la faim et la misère font languir meurent dans les places et les rues, dans les villes et les campagnes, faute de pain : n'ayant pas d'occupation et de travail, ils n'ont point d'argent pour acheter du pain. »*

Cité d'après P. Goubert, *Louis XIV et vingt millions de Français*

# À propos de Louis XIV

**● Bossuet, une admiration sans borne**

Le grand prédicateur Bossuet écrit à Louis XIV :

*« Oui, Sire, vous êtes né pour attirer de loin et de près l'amour et le respect de tous vos peuples... Jamais il n'y eut de règne où les peuples aient eu plus le droit d'espérer qu'ils seront heureux que le vôtre. »*

Bossuet, *Lettre à Louis XIV,* 1675

Bossuet

**● Voltaire : un avis plus nuancé**

Voltaire est partagé entre l'admiration et l'esprit critique :

*« Louis XIV fit plus de bien à sa nation que vingt de ses prédécesseurs ensemble... »*

Ailleurs, il note :

*« S'il n'eût pas cru qu'il suffisait de sa volonté pour faire changer de religion à un million d'hommes, la France n'eût pas perdu tant de citoyens. »*

Voltaire, *Le Siècle de Louis XIV*

Voltaire

**● Michelet : un jugement sévère**

Jules Michelet est très dur envers Louis XIV.

*« La France ne fut pas sauvée, comme on l'a dit, mais roulée, et brisée. Elle s'enfonça, disparut. »*

J. Michelet, *Histoire de France,* t. XIII

Jules Michelet

**● XIXe et XXe siècle : des appréciations différentes**

Avec l'historien Ernest Lavisse, la cote de Louis XIV remonte en flèche, et le Roi-Soleil est reconnu par la IIIe République comme le plus grand roi que la France ait connu. Mais Pierre Goubert a nuancé ce jugement.